D1378930

Die
Häschenschule
Ein lustiges Bilderbuch
von
Fritz Koch-Gotha
und
Albert Sixtus
F. Koch-Gotha

„Kinder", spricht die Mutter Hase,
„putzt euch noch einmal die Nase
mit dem Kohlblatt-Taschentuch!
Nehmt nun Tafel, Stift und Buch!
Tunkt auch eure Schwämmchen ein!
Sind denn eure Pfötchen rein?"
„Ja!"—„Nun marsch, zur Schule gehn!"
„Mütterchen, auf Wiedersehn!"

F. Koch-Gotha - 23

Hasenhans und Hasengretchen
gehen lustig Pfot' in Pfötchen
um die sechste Morgenstund'
durch den bunten Wiesengrund.
Viele andre Hasenjungen
kommen schnell herbeigesprungen.
Auf dem Rücken sitzt das Ränzchen,
hinten wippt das Hasenschwänzchen.

Hops, noch über diese Quelle!
Hei, sie sind an Ort und Stelle!
Wo die hohen Tannen stehn,
kann man eine Wiese sehn.
Kleine Bänke stehn in Reihen,
hier zu zweien, da zu dreien.
Hopphopphopp, noch einen Satz,
und sie sind auf ihrem Platz.

Hausmann mit dem bunten Rocke
läutet hell die Morgenglocke,
und beim letzten Glockenton
kommt der alte Lehrer schon:
Runde Brille, grauer Bart,
Ohren lang nach Hasenart.
Artig faltet man die Hände,
bis das Frühgebet zu Ende.

Nun beginnt die erste Stunde,
Häschen haben Pflanzenkunde.
Eh' sie eine Antwort geben,
müssen sie die Pfötchen heben.
Und der Lehrer fragt geschwind,
welche Kräuter eßbar sind.
Hasenhans, der weiß das wohl:
„Am allerbesten schmeckt der Kohl!"

In der nächsten Stunde dann
kommt die Tiergeschichte dran.
Von dem alten Fuchs, dem bösen,
wird erzählt und vorgelesen,
wie er leise, husch, husch, husch,
schleicht durch Wiese, Feld und Busch.
Und die kleine Gretel denkt:
„Wenn er mich nur nicht mal fängt!"

Der Fuchs
Der Rotfuchs
Der Rotfuchs wohnt in
einer Höhle im tiefen Wald
Er ist ein großer Räuber
Er hat scharfe, spitze
Zähne. Wehe euch,
wenn er euch packt!
Er ißt gern Hühner,
und Gänsebraten, oder
am liebsten sieht er
doch ein Häschen auf
seinem Tisch. Dann
Er hat scharfe, spitze
Zähne. Wehe euch,
wenn er euch packt
18

Seht, wie ihre Augen strahlen,
wenn sie lernen Eier malen!
Jedes Häslein nimmt gewandt
einen Pinsel in die Hand,
färbt die Eier, weiß und rund,
mit den schönsten Farben bunt.
Wer's nicht kann, der darf auf Erden
nie ein Osterhase werden.

Wenn die Pause nun beginnt,
geht's zur Wiese wie der Wind.
Lustig sind die Hasenjungen,
toll wird da herumgesprungen.
Doch die Mädchen knabbern stumm
an dem Frühstückskraut herum,
und sie wandern, tipp-tipp-tapp,
mit der Freundin auf und ab.

Hasenmax, der Bösewicht,
konnte heut sein Verschen nicht,
hat gepfiffen und geschwätzt,
Hasenlieschens Rock zerfetzt,
eine neue Bank zerkracht
und dabei noch laut gelacht.
In die Ecke muß er nun.
Ei, da kann er Buße tun!

Klassenerste, Hasenmine,
holt des Lehrers Violine,
der den Bogen rasch und leicht
mit dem gelben Harz bestreicht.
Ping-pang-pung! —
Die Geige stimmt,
hoch er sie zum Halse nimmt.
Durch die Sommerlüfte zieht
manch ein schönes Hasenlied.

Mit den grünen Wasserkännchen
laufen hier die Hasenmännchen,
weil das Kraut die Blätter hängt,
wird's mit kühlem Naß besprengt.
Mädchen hocken vor den Beeten,
um das Unkraut auszujäten.
Und der Lehrer, der gibt acht,
daß es jeder richtig macht.

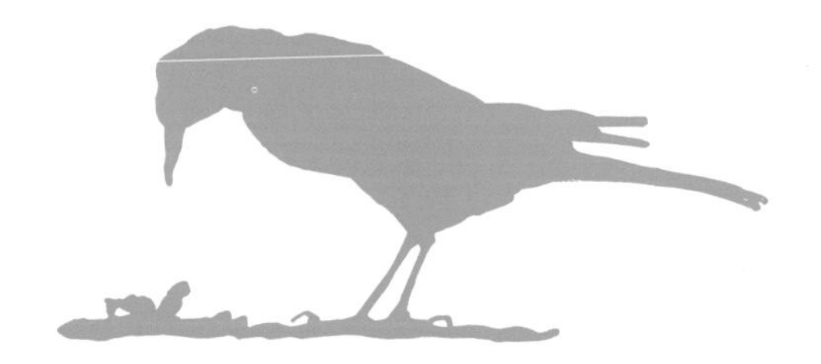

F Koch-Gotha

In der allerletzten Stunde
turnen sie im Waldesgrunde.
Und sie lernen wie beim Jagen
man durch flinkes Hakenschlagen
kann dem Hund 'ne Nase drehn
und dem sichern Tod entgehn,
wenn im Winter durch den Wald
laut des Jägers Büchse knallt.

Endlich spricht der Lehrersmann:
„Liebe Häschen, tretet an!
Laßt nichts in der Schule liegen!
Auf dem Heimweg—stillgeschwiegen!
Nicht vom Wege seitwärts springen!
Nicht in dunkle Büsche dringen!
Hat der Rotfuchs euch am Kragen,
hilft kein Betteln, hilft kein Klagen"

Horch, wer wimmert dort so sehr:
„Liebe Häschen, kommt mal her!
Ach, ich bin so schwach und matt!
Bringt mir doch ein frisches Blatt!"
Huhuhu!—Es ist der Fuchs!
Augen leuchten wie beim Luchs.
Hopsa—hopsa, wie der Wind
rennt ein jedes Hasenkind!

So — nun ist die Schule aus,
und die Häschen sind zu Haus,
setzen hungrig sich zu Tisch,
greifen nach dem Löffel frisch:
Kohlgemüse, Kressenblatt,
ei, da essen sie sich satt!
Wär' ich nicht ein Kindelein,
möcht' ich gleich ein Häschen sein!

Druck: te Neues Druckereigesellschaft mbH + Co · KG